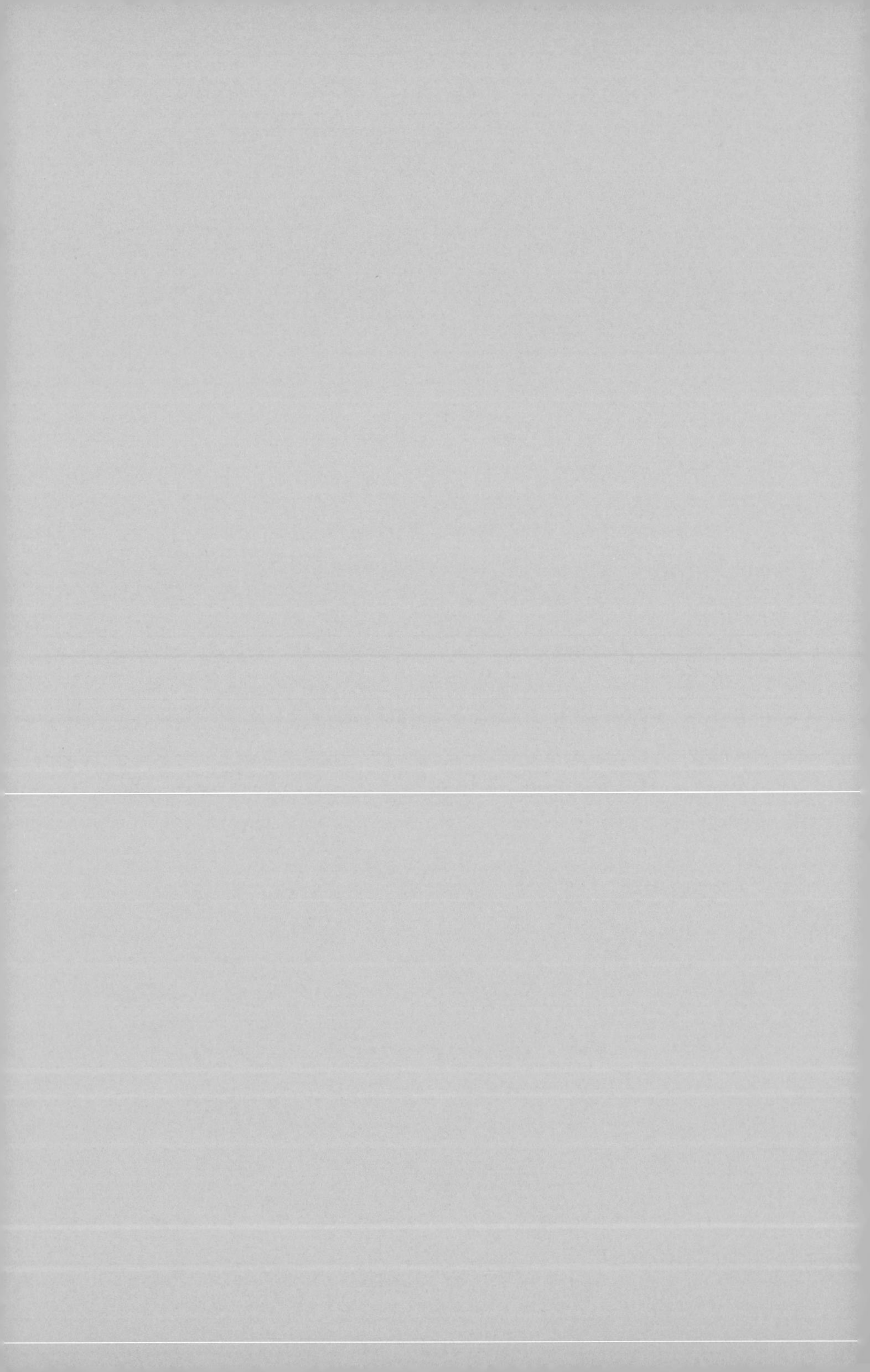

# 나의 방송부 도전기

나만의 성장길

# 나의 방송부 도전기

김지윤

# 차례

# 6학년의 시작

6학년이 되고 나는 걱정이 더 많아지고 밤에 우는 일이 많아졌다. 학교에서는 친구들과 잘 지낸다. 하지만 학원 스트레스는 끊임없이 생겨났다.

중학생이 되고 싶지 않았다.

오늘은 처음 6학년 교실에 가보았다. 학교 친구들도 좋았고 선생님도 마음에 들었다. 하지만 6학년은 중요한 시기이기 때문에 부담은 계속되었다.

"다녀왔습니다."

"와서 과일 먹어."

집에 오자마자 핸드폰을 집었다. 요즘 일주일 핸드폰 시간이 3시간 정도 되는 것 같다.

“이제 그만해야 하는데.”

수요일 영어학원에 가는 날이다.

‘그나저나 공부 신경 써야 하는데.’

매일 이 생각만 반복한다. 가기 전에 숙제를 하기로 한다. 하지만 잠시 책상 앞에 있는 거울 속 나를 쳐다봤다. 나 자신이 너무 한심하게 느껴진다.

오늘도 수아와 학원에 간다. 수아는 4학년 때 나와 같은 반이었고, 옛날부터 아는 사이였다. 하지만 6학년이 되면서 서로 다른 반이 되었다. 수아를 만나고 서로 반 배정에 대해 하소연했다.

“너 반 배정 어때?”

“아 몰라. 망했어.”

“난 아직 모르겠다.”

이야기를 나누며 바로 학원에 들어갔다.

“자, 학교는 잘 갔다 왔니~?”

선생님이 말씀하셨다.

“방학 끝나고 학교 가니깐 졸려요.”

나는 귀찮은 듯이 대답했다.

"자, 수업하자!"

나는 1시간 동안 계속 수업을 들었다.

오늘 시험은 이상하게도 마음에 들었다. 그리고 기다리던 10분 쉬는 시간이 왔다. 이번에는 단어시험을 앞둔 시간이라서 친구들이랑 서로 주고받으면서 연습했다. 갑자기 배고파져서 집중하기 힘들었다.

"아 배고파..."

"살려줘..으엉."

쉬는 시간이 끝나고 단어시험을 보았다. 오늘도 결국 서로 바꿔서 채점했다.

"아. 아깝다.."

이번에는 평소보다 많이 틀렸다.

학원이 끝나고 셔틀버스에서 내리고 보니, 5시가 되었다. 집에 가면서 숙제해야겠다고 생각했지만 결국 미루다 늦게 시작했다.

6학년은 가장 중요한 시기이다. 1년 후면 중학생이 되기 때문이다. 무엇보다 중학교에 가기 싫은 이유는 중간고사, 기말고사 때문이다. 나의 시험점수는 대부분 평균이다. 가끔은 잘 보고 가끔은 망쳐버린다.

또, 나는 눈물이 많아서 쉽게 우는 편이다. 남들 앞에서 눈물이 나려고 하면 머리를 푹 숙이고, 긴 머리카락으로 얼굴을 가린다. 이상하게 보일 수도 있지만 눈물을 보이지 않게 하려면 이 방법이 가장 괜찮다.

난 평소에도 많이 울지만, 중학생이 되어서는 더 자주 울까봐 걱정되기도 한다. 진짜 나도 열심히 노력하고 있다고 생각하고 있지만, 남이 본다면 열심히 하는 게 아닐 수도 있을 것 같다.

성실하게 하고 싶어서 머리를 쥐어짜다가도 어느새 내 손에는 핸드폰이 들려져 있다. 나에게는 아빠가 예전에 쓰시던 공기계 핸드폰이 있다. 개통은 안 되었지만 인터넷 사용은 할 수 있다. 나는 그걸 자주 쓰는 편이다. 그 때문에 시간을 자주 빼앗겼다.

다른 친구들은 수학 진도가 중학교 3학년이라는데 난 아직 중학생 진도가 아니다. 영어도 아파트 단지에 작은 학원에 다녀서 좀 걱정이 된다. 그 학원이 수업을 못 가르

치는 게 아닌데 실력이 늘고 있는 건지 모르겠다. 친구들은 대형 학원에서 어려운 문제들을 많이 풀고 있는데 내가 잘하고 있는지 모르겠다.

그리고 나는 3학년 때에만 해도 키가 작다고 심하게 놀림 받았다. 외모로 놀리는 것이 본인에게 무슨 이득이 있다고 그렇게 놀려댔는지 모르겠다. 그때까지만 해도 나는 키 작은 것이 콤플렉스였다. 현재 6학년, 키는 여자애들 평균이다. 그래도 많이 큰 편은 아니라서 아직 키가 콤플렉스이다. 중1이 되면 키 큰 애들이 많을텐데 '난 어쩌지?' 하며 걱정하기도 한다.

"아 벌써 6시야!"

"집중해! 숙제해야 하는데..."

나는 간신히 침대에서 일어났다.

책상 위에 앉아보니 눈이 찜찜하다. 세수하고 수학 숙제를 꺼낸다. 1시간 집중해서 수학 숙제를 끝냈다. 영어 단어 50개를 외우고, 문법 문제도 다 풀었다. 저녁이 되었다. 밥 먹을 때는 핸드폰을 보며 먹는다. 근데 요즘 핸드폰을 많이 했는지, 볼만한 영상이 없는 것 같다.

오늘 저녁은 라면이다. 나는 면을 엄청 좋아한다. '면덕

후'라고 불릴 만큼이다. 김밥을 라면 국물에 퐁당 적셔 먹으면 얼마나 맛있는지 모르겠다. 라면 한 그릇 두둑이 먹고, 침대 구석 자리에 앉아 핸드폰 15분만 하고 학교 숙제를 하러 갔다.

이번 학교 숙제는 '정의'라는 주제로 글을 쓰는 것이다. 이 재미있지도 않은 이 주제는 반에서 '본인이 가장 똑똑하다'고 생각하는 애가 고른 주제이다. 정말 이기적이고, 별로다. 걔를 좋아하는 친구는 아무도 없다. 이런 생각을 하며 겨우 글을 썼다. 시계를 보니 거의 8시가 되었다.

갑자기 도서관에서 관심가는 책을 고른 기억이 났다. 후다닥 가방이 있는 곳으로 달려갔다.

"생각해보니 요즘 책을 안 읽었네."

책 첫 장을 폈다. 20분 동안 읽었다. 그리고 책을 다시 덮었다.

"아, 배고파 원래 디저트 배는 따로 있는 법!"

그러면서 냉장고 안쪽에 있는 소시지 빵을 냉큼 집었다.

"엄마, 여기 있는 소시지 빵 내가 먹어도 되지?"

내가 물었다.

"응. 하나 더 있는데 그건 오빠 거니깐 먹지 마."

"알겠어."

나는 우유를 컵에 따라 방으로 가져갔다. 그리고 읽던 책을 마저 보면서 빵을 먹었다. 소시지 빵은 나의 최애 빵이다. 그래서 엄마가 가끔 사주신다. 60쪽까지 읽으니까 슬슬 졸리기 시작했다.

"이제 곧 씻어야 하니까 정리해야지."

머리를 다 감고 나왔는데 가장 귀찮은 시간이 왔다. 그것은 바로 머리 말리는 것이다. 남자들은 머리가 짧아서 금새 마른다. 하지만 여자들은 머리가 길기도 해서 머리 말리는데 최소 5분은 필요하다. 근데 나는 머리가 다른 사람들보다 길고 숱도 많아서 시간이 꽤 걸린다. 귀찮고 힘든 머리를 다 말렸다. 약을 먹고 침대에 누웠다.

다음날 눈을 떠보니 벌써 8시가 가까워졌다. 시간이 너무 빠른 것 같다고 매일 생각한다. 오늘도 등굣길에 수아를 만났다.

"나 오늘 8시에 일어났다. 아, 방학한 지 꽤 됐는데 아직도 늦게 일어나."

"괜찮아, 나도 어제 그때 일어났어."

"정말?"

교실에 들어갔는데 아직도 익숙하지 않은 나의 반.

친구들도 아주 어색하다. 그리고 우리 반에는 이기적이라고 소문난 여자애가 있다. 바로 최시은이다.

여우라고도 소문이 났다.

“하필 우리 반이라니.”

난 최시은이 정말 마음에 안 든다.

혼자 최시은을 욕하고 있는데,

“다은아!”

선생님께서 나를 부르셨다.

“이 서류, 교무실에 전해줄 수 있니?”

심부름이었다. 나는 무거운 서류들을 들고 터덜터덜 교실에서 나왔다. 교무실에 조용히 노크하고, 선생님 책상 위에 서류를 두고 다시 후다닥 나왔다. 다시 교실로 돌아와서 아침 독서를 했다.

2교시 쉬는 시간에 여자애들이랑 동그랗게 모여서 얘기를 했다. 근데 또 최시은은 친구와 함께 남자애 앞에서 얼쩡거리며 놀고 있다. 그 모습을 본 나랑 수아는 황당하다는 표정으로 눈이 마주쳤다. 최시은은 쉬는 시간이 되면 남자애 자리로 자동 향한다. 그리고 대화를 먼저 시작한다. 공부를 그리 잘 하진 않았고, 이기적이면서 쓸데없는 자신감만 커서 친구들이 대부분 싫어했다.

“재, 진짜 뭐야.”

"맨날 남자애들 앞에 있잖아, 남자애들도 알까?"

"그 억지 웃음에 억지 감정까지. 뭔가 거슬려."

친구들이 최시은 흉을 보며 말했다. 최시은은 선생님과 친구들 앞에서는 항상 눈이 반달 모양이 되도록 웃고, 혀까지 짧아진다. 근데 여자애들 앞에선 정색하고 목소리가 바뀐다. 이 모습을 보다 보면 나는 어이가 없어진다. 남자애들은 또 그걸 모르는지 계속 놀고 있다. 확 그냥 말해버리고 싶기도 하다. 정작 최시은 본인은 친구들에게 욕을 먹고 있는지 모르는 것 같다. 나를 그저 반 친구 중 하나로 생각하는 것 같다. 아니면 아무 생각도 안 할 수 있다. 나 역시 걔를 무시할 순 없다. 새 학기 시작한 지 얼마 안 되었고, 처음부터 원수 사이가 되고 싶지는 않다. 그래서 필요한 얘기는 조금씩 하고 있다. 나는 점점 많은 친구와 친해졌다. 학교 끝나고 다 같이 아이스크림을 먹기도 한다. 여자애들 연락처도 다 알게 되었다.

우리 반은 공부 상위권 학생들이 많았다. 나는 중위권 학생이라서 친구들이랑 있기에 기가 좀 빨린다. 그리고 나 자신을 점점 싫어하게 되었다. 그래서 평가를 볼 때마다 치열하게 준비한다. 하지만 작은 실수로 점수를 놓칠 때가 많다.

인터넷에서 공부하는 모습을 찍어 올린 영상을 본 적 있다. 난 그 모습이 너무 멋져서 점점 빠져들었다. 그래서 나도 영상을 배속으로 만들어 주는 앱을 다운 받고, 직접 공부 영상을 2시간 동안 찍어봤다. 볼 때마다 너무 뿌듯하고 기분이 좋았다. 그래서 공부, 숙제할 때마다 영상을 찍었다. 그 영상을 어디에 올리는 것은 아니었지만, 영상을 찍고 확인하다 보면 무척 열정이 넘쳐 올랐기 때문이다. 나는 벌써 공부 동영상을 15개나 찍었다.

"오! 그새 많이 찍었네?? 뿌듯하군!!"

몇 시간짜리 영상이 단 몇 초로 바뀌니 더 신기했다.

집 앞에 도서관이 있는데 초반에는 거의 매일 도서관에 갔다. 하지만 어느새 도서관을 안 가게 되었다. 도서관에 사람이 많아져서 영상 찍기에 민망하고 눈치 보여서 점점 안가게 되었다. 하지만 집에서는 꾸준히 찍고 있다. 나도 5시간 넘게 공부해보고 싶다는 생각이 들었다. 나중에 조금씩 공부량을 늘리려고 한다.

6학년이 되면서 필요한 것이 있었는데 나는 며칠이 지나도록 준비하지 못했다. 주말이 되어 겸사겸사 집 앞에 새로 생긴 문구점에 가보려고 했다. 문구점 가는 길에 필요한 것을 정리해 보았다.

“먼저 풀테이프랑 L자 파일, 수정 테이프! 그리고 형광펜이랑 펜도 좀 사야겠다!”

“엄마, 나 준비물 사러 갈게.”

문구점에 도착해서 가성비 좋아 보이는 풀테이프를 골랐다. 낡은 파일을 가지고 다니면 종이가 찢어질 수도 있어서 새 L자 파일도 바구니에 넣었다. 펜 코너로 가서 엄청나게 사고 싶었던 형광펜을 골랐다. 마침 할인까지 했다.

‘헉! 이 펜 예쁘다. 색깔도 좋고!’

나는 신나는 마음으로 가격표를 보았다.

‘헉! 비싸네..’

나는 펜을 내려놓았다.

‘그래, 필요한 것만 사자!’

채점용 색연필도 골랐다. 심플하게 생긴 수정 테이프도 샀다. 가방에 꽉 차도록 사서 집으로 갔다. 집에 와서 새 학용품들을 다 꺼냈다. 사고 싶은 것들이었기에 만족스러웠다. 나는 물건을 신중히 고르기 때문에 요즘에는 물건을 잘 안 산다. 하지만 사고 싶은 물건은 많다.

## 많고 많은 나의 걱정들

나는 정말 걱정을 많이 한다. 컴퓨터로 해야 하는 학교 과제가 있다면, 과제가 초기화된 줄 알고 호들갑을 떤 적도 있다. 체육 시간이라면 내가 사소한 실수를 하면 어쩌지, 괜히 반 친구들에게 욕 들을까 봐 불안해하는 일도 있다. 그래서 나는 저녁이 되면 마음이 찜찜하거나 괜히 불안해하는 습관도 생기게 되었다. 엄마는 그만 걱정하라고 자주 말하신다. 걱정들은 거의 일어나지 않는다. 그리고 '그런 일 없을 거야, 괜찮아'라는 말을 들어야 기분이 편안해져서 자꾸 하게 되는 것 같다. 나는 시험을 잘보고 싶은 마음에 긴장을 쉽게 한다.

나는 쇼핑을 엄청나게 좋아한다. 어렸을 때부터 가지고 싶은 게 많았다. 장난감도 많이 사보았는데, 한편 그 점을 후회한다. 새것이면서 필요는 없는 물건들이 산더미다. 진짜 왜 샀는지 과거의 내가 이해가 안 된다.

근데 최근에 또 사고 싶은 게 있다. 바로 필통이다. 1월부터 갖고 싶은 필통이 있었는데 계속 머릿속에 떠올랐다. 그 필통은 내가 갖고 있던 필통과는 다르다. 보통 필통에 메모지를 넣으면 금세 더러워지는데, 이 필통은 2단 필통이라서 깨끗하게 보관할 수 있다. 색상은 아이보리와 블랙이다. 내가 아무리 검정색을 좋아해도 필통을 검정색으로 하면 나랑 안 맞을 것 같았다. 아이보리는 금세 때가 탈 것 같아서 걱정되었다. 사고 싶어서 끙끙 앓고 있을 때, 갑자기 가격이 할인 되었다. 심지어 무료배송까지! 난 엄마를 설득했다.

"엄마 이거 내가 예전부터 사고 싶었던 필통인데 지금 할인이래! 그래서 6학년 기념으로 사주면 안 돼?"

"그래 사줄게. 무슨 색 할 거야?"

"나 아이보리"

난 그 필통을 반값보다 싸게 얻게 되었다. 필통은 새벽 5시쯤 온다고 했다.

다음날, 난 5시 반에 눈이 떠졌다. 가족들은 다 자고 있었다. 떨리는 마음으로 조용히 현관을 나가보니, 아직 택배는 오지 않았다. 그래서 택배가 올 때까지 핸드폰을 보며 기다렸다. 그러다 다시 자버렸다. 다시 일어나서 시계를 보니 8시였다. 나는 허겁지겁 나갈 준비를 하려고 했다. 그런데 주말이었다.

"아, 오늘 토요일이구나."

난 필통을 그새 까먹고 아침밥을 먹었다. 엄마가 현관을 열고 눈웃음을 지으며 택배를 나에게 건네주셨다.

"필통 왔어."

나도 택배를 보고 활짝 웃었다. 방으로 가서 필통을 열어보니 실물이 더 예쁘고 아주 마음에 들었다.

"엄마 고마워!"

난 옛날 필통을 꺼내서 새 필통에 필기구를 차곡차곡 넣었다. 그리고 연필도 더러워지지 않게 연필 캡을 씌워서 보관했다. 이 필통을 오래 쓰기로 다짐했다.

필통에 대해서도 걱정한다. 만약 내가 또 필통을 사면 어떻게 하지, 금세 더러워지면 어떡하지, 다른 색 할 걸 그랬나, 그리고 괜히 샀나 하는 쓸모없는 걱정을 하기도 한다.

나는 마라탕을 5학년 때부터 좋아했다. 근데 친구들이랑 먹으러 갈 때 사소한 걱정을 한다. 너무 많이 담으면 가격이 부담스럽기도 하다. 마라탕이라는 음식이 나랑 맞지 않은 것 같다는 생각도 한다.

지하철을 혼자 탈 때도 실수해서 다른 곳으로 잘못 내릴까봐 불안해한 적이 있다. 길은 다 알지만, 사소한 실수를 할까봐 도전하지 못하는 경우가 많다.

6학년 단체로 계획해 온 활동이 있었는데, 그건 바로 본인이 잘하는 것을 소개하거나 알려주는 영상을 촬영하는 것이다. 우리는 이 활동을 비디오 미션이라고 불렀다.

"이 미션은 2주 동안 진행할 거예요. 그러니깐 그 동안 내가 무엇을 좋아하는지 자세히 알고 필요한 것을 준비해서 촬영해 볼 거예요."

난 좀 걱정되었다. 난 내가 무엇을 잘하는지 모르기 때문이다.

"자, 그럼 오늘부터 시작이니, 계획부터 세워보자."

친구들은 모두 학습지에 계획을 세우고 있는데 나 혼자 가만히 있었다.

"내가 잘하는 게 뭐지?"

태블릿으로 재미있어 보이는 활동을 찾기로 했다. 지금이라도 나에게 관심 있는 활동이 무엇인지 알아보려고 했기 때문이다. 공예가 재미있어 보이기도 했다.

쉬는 시간이 되고 친구들에게 주제를 무엇으로 정했는지 물어봤다. 다 근사해 보이는 멋진 주제였다. 배드민턴, 만들기, 코딩, 요리 등 재미있어 보이는 것들이 많았다. 점심시간이 되자, 나는 다른 반 친구들은 무엇을 했는지 궁금했다. 남자애들은 운동 위주로 했고, 여자애들은 만들기 위주로 했다.

친구들은 아이디어를 쏟아내고 있는데, 난 무력한 느낌이었다. 선생님께 말씀드려보니, 학교 도서관에 있는 책을 읽어보면 내가 무엇을 좋아하는지 알 수 있다고 하셨다. 그래서 학교가 끝나고 도서관에 가보았다. 시간이 꽤 걸려서 내일 다시 오기로 했다.

다음날, 도서관에서 주제와 관련된 책들을 빌려 왔다. 처음에는 책 속 내용이 무엇을 소개하는지 이해하기 어려웠다. 하지만 포기하지 않았다. 차분히 시간을 내어 책을 읽고, 반복해서 읽으며 이해하려고 노력했다. 그리고 비디오 미션 시간이 오면 적극적으로 참여하며 나만의 아이디어를 계속 만들었다. 나는 점점 자신감을 얻었고 설명도 쉽게 할 수 있었다.

“다은아, 너 계획 좋당!”

“진짜?! 고마워!”

나는 이 기회를 통해 '배우는 것'에 대한 방법을 다시 살펴보았다. 비디오 미션은 수행평가이기도 해서 신경 쓸 수밖에 없었다. 나는 도서관 책 덕분에 수행하기가 편해졌다.

드디어 오늘은 지금까지 조사한 활동을 영상으로 찍는 날이다. 난 비즈 공예로 정했다. 내가 그렇게 잘하는 것은 아니지만, 좋아하는 활동이기 때문이다. 영상의 제한 시간은 최소 5분이었다. 내 차례가 되자, 수많은 카메라들이 있어서 꽤 긴장되었다. 나는 밝게 웃음을 짓고 시작했다.

"안녕하세요. 이다은입니다!"

나는 힘찬 목소리로 말했다.

"제가 소개할 것은 비즈 공예입니다. 그중 비즈 키링을 만들 건데요. 준비물은....."

조금씩 말에 힘이 풀렸지만, 끝까지 촬영을 마쳤다. 어젯밤에 연습하길 잘한 것 같아서 뿌듯했다. 나름 만족스러운 결과물이 나온 것 같았다.

영상은 학교 게시물에 올려졌다. 모든 6학년이 만들었기 때문에 다른 친구들의 영상도 볼 수 있었다.

나는 수행을 하면서 점점 비즈 공예를 좋아하게 되었다.

그래서 비즈 공예가 취미가 되어 재료를 조금씩 사고 있다. 나도 나의 취미에 대해 투자하는 기분이라서 나쁘진 않았다. 하지만 돈 낭비가 될 까봐 조금만 사고 있다. 갑자기 취미가 바뀔 수도 있기 때문이다.

이번에 동네 도서관에서 글쓰기 대회를 연다고 했다.

“수아야, 도서관에서 글쓰기 대회 연다던데 너 나갈 거야?”

“아니!”

“왜?”

“귀찮아서.”

“아! 근데 그거 상금 높던데?”

난 웃으며 말했다.

“넌 할 거야?”

“몰라.”

집에 와서 엄마에게 도서관 글쓰기 대회에 관해 여쭤보았다.

“엄마, 이번에 열리는 도서관 글쓰기 대회에 1등 상금이 얼마야?”

“음. 100만원쯤 되지 않을까?”

“오, 나 나가볼까?”

"나가 봐."

나는 고민 끝에 글쓰기 대회에 나가기로 했다. 좋은 결과가 나오지 않더라도 글쓰기 대회 자체가 좀 궁금하기도 했기 때문이다. 글쓰기 대회에 대해 더 자세히 알아보니까 3등까지 있다. 그리고 9월에 연다고 했다. 그럼, 지금으로부터 약 4개월 뒤이다.

"흠! 시간이 있긴 하네."

나는 노트에다 메모했다. 내가 잘할 수 있을지 잘 모르겠다.

요즘 선생님께서 내 글쓰기 실력이 늘었다고 하셨다. 그래서 글쓰기 대회에 나가기로 굳게 다짐했다.

"이왕 나가는 거 제대로 준비하고 나가야지."

난 의지가 더 생겨서 학교 국어 시간에 더욱 집중했다. 그런데 주제는 글쓰기 대회 직전에 알려주는 거라서 미리 준비할 수 없었다. 그래도 기본인 맞춤법과 띄어쓰기를 틀리지 않도록 조금씩 연습했다. 우선 엄마와 나만 나가기로 했다. '실수하면 안 될 텐데' 하는 생각이 반복되었다.

언젠가부터 나는 시험이나 수행평가를 앞두고 나면, 걱정하고 긴장해서인지 소화가 안 되고 배가 아플 때가 많았다. 이번 글쓰기를 준비할 때도 당일에는 글이 안 써질까봐 벌써 걱정하고 있다. 긴장을 많이 하다 보니 나에게 조금 적응이 되기도 했다.

글쓰기 연습을 계속해보니 점점 재미있어지고, 할 만했다. 그러면서 가끔 뉴스를 봤는데 아나운서나 기자들이 너무 멋져 보였다. 나는 방송인이 되어보고 싶다는 생각을 하게 되었고, 학교 방송부를 지원해보았다.

방송부에는 아나운서, 카메라, 엔지니어, 음향효과 담당 등이 있었다. 학교 앞에 방송부 안내문이 있었다. 나는 갈 길을 멈춰 안내문을 살펴보고 있었다. 수아랑 같이 하고 싶었다.

"너 방송부 할 거야?"

수아가 물었다.

"응, 해보고 싶어"

"뭐 하는 건데?"

"음. 학교 행사, 아침조회 준비도 하고 신청곡도 받고 그러는데?"

"오! 재미있겠다!"

"그럼 같이 나갈래?"

"좋아."

수아도 방송부에 같이 도전하기로 했다. 우린 둘 다 같이 뽑히는 것이 목표라서 서로 도와주면서 했다. 참여 방법은 간단했다. 우선 면접을 봐야 한다. 일단 국어 위주로 교과서를 쭉 살펴보았다. 그리고 교가, 교훈 등 학교에 대해서도 알아야 했다. 면접은 총 3차까지 있었고, 1차를 통과해야 2차도 할 수 있었다.

요즘 하고 싶은 게 많아졌다. 글쓰기 대회, 방송부 그리고 반장 아니면 부반장도 해보고 싶다. 1학기 반장 선거는 지났지만 재미있어 보였다. 나는 아직 반장, 부반장을 제대로 해본 적이 없다. 기왕 한다면 중학생이 되어 하는 것보다는 초등학생 때 해보는 게 더 나은 것 같았다. 그래서 좀 후회되는 부분이 있다. 4학년 때 친구의 추천으로 부반장 선거에 나갔다. 급하게 책상에서 대본을 쓰고 긴장되는 마음으로 교실 앞으로 나갔다. 반친구들이 선거에 많이 참여했기 때문에 나는 1표를 받았다. 나는 결과를 보고 놀랄 수밖에 없었다. 왜냐하면 그 표는 내 표가 아니기 때문이다. 쉬는 시간이 되고 나는 급하게 친구에게로 갔다.

"너 누구 뽑았어?"

"나 너 뽑았지!"

"근데 너는 왜 너 안 뽑았어?!"

"나는 어차피 안되니깐 다른 애 했는데."

"너 뽑지 그랬어!"

알고 보니 그 표는 나를 추천해 준 친구의 표였던 것이다. 나는 어차피 내가 안 될 거라는 것을 알고 다른 친구를 뽑았었다. 이 일 때문에 나는 다시 부반장에 도전해 보고 싶었다.

5학년 때도 하고 싶은 마음이 있었는데 용기가 안 나서 못 했다. 근데 6학년 1학기가 되니까 하고 싶은 마음이 커졌다. 그래서 2학기 때에 해보려고 다짐하고 있다. 앞으로도 해보고 싶은 것이 더 생길 것 같다.

시간이 지나고 보니 방송부 면접이 일주일 남았다. 오늘은 신청한 학생들끼리 모여서 안내를 받아야 했다. 학교수업이 끝나고 신청한 학생들은 1층 돌봄교실에서 모였다. 선생님이 들어오셨다. 방송부 담당 선생님이다.

"자, 우리 방송부 신청한 학생들 맞죠?"

"네."

우리 모두 대답했다.

"그럼, 이름 한 번 불러 볼게요."

선생님은 친구들의 이름을 하나씩 부르셨다.

"이다은"

"네!"

나는 또렷한 목소리로 대답했다.

선생님이 이름을 확인하고 안내를 해주셨다.

"자, 안내를 시작할게요. 혹시 필요한 친구들은 메모해도 좋아요."

"오, 메모지!"

나는 가방에서 메모지를 찾았다.

"다음 주에 1차 면접을 볼 거예요. 그리고 2차 면접과 3차 면접도 볼 거예요. 우리가 지금 28명인데, 최종 합격은 10명입니다. 1차 면접에서는 학교에 대해 얼마나 잘 아는지 볼 거예요. 교장실 옆에 우리 학교 관련 정보가 있으니까 참고하세요. 그리고 지난 학년 기준으로, 국어 기초 내용에 대해 시험 볼 거예요. 시험시간은 50분으로, 다음 주 이 시간, 이 장소에서 봅니다. 질문 있나요?"

"매 학기마다 선발시험을 보시나요?"

"아. 우리 방송부는 1학기와 2학기 모두, 즉 1년 동안 활동할 수 있어요. 또 질문 있나요?"

안내를 다 듣고 집에 가는 길에 교장실 앞에 들렀다. 게시판에는 우리 학교 역사와 상징, 로고, 나무 등이 적혀 있었다. 아까 선생님이 애국가도 외워야 한다고 말씀하셨는데, 어떻게 4절까지 외울지 벌써 막막했다. 수아도 나와 마찬가지였다.

"너 시험 잘 볼 것 같아?"

"아니.."

"나도..."

"일단 암기가..."

우리는 교장실 옆에 있는 간판에서 사진을 찍고 집으로 갔다.

나는 집에 들어가서 엄마에게 메모한 종이를 보여드렸다.

"어머! 다은아! 너 이걸 다 할 수 있겠어?"

"몰라."

"역시 학교 방송반은 확실히 달라! 아주 꼼꼼히 보는구나?"

"그런 것 같아."

"나, 괜히 신청했나?"

"아니야. 너 해보고 싶어 했잖아."

"중학교 방송반은 더 복잡하고, 어려울 거야. 한번 해보고 괜찮으면, 중학교에 가서도 해봐."

"근데 아침 방송도 할까?"

"당연하지! 뉴스처럼 하니까 다 나와."

"얼른 해보고 싶다!"

# 나 방송부 할 거야

나는 엄마와 수다를 떨고, 본격적으로 면접시험 준비를 했다. 먼저 애국가를 4절까지 프린트하고, 가지고 다니면서 외우기로 했다. 수아와 만나서 서로 도와주기도 했다. 애국가는 대충 다 외우긴 했지만, 또 쓰기는 어려웠다. 학교 관련된 내용은 대부분 다 외웠다. 하지만 문제는 국어였다. 난 끙끙 앓으며 계속 외울 수밖에 없었다.

시간이 지나고 벌써 면접시험이 하루 남았다. 나랑 수아는 급하게 만나서 호들갑을 떨었다.

"어떻게, 어떻게 벌써 하루 남았어!"

수아도 걱정되어 보였다.

"그니까. 이젠 나도 모르겠어. 우린 한 명만 되어도 소용 없어. 둘 다 같이 붙어야지!"

"맞아. 일단 1차 면접은 무조건 붙어야 해."

"만약 우리 둘이 방송부 되면 진짜 신기하겠다."

"그니까."

어느새 면접시험 당일이 되었다.

학교가 끝나고 수아 반 앞에서 수아를 기다리는 동안 애국가를 더 외웠다. 수아를 만나고 떨리는 마음으로 돌봄교실로 들어갔다.

"자, 필기구 꺼내고 앉고 싶은 자리에 앉아."

선생님이 우리에게 시험지를 주며 말씀하셨다.

나랑 수아는 서로 나란히 앉았다. 시험이 시작하고 첫 번째 문제로 우리 학교에 대한 문제가 나왔다. 크게 심호흡하고, 천천히 문제를 풀었다. 그 다음에는 애국가 문제가 나왔다.

다음으로 애국가 가사를 올바르게 쓰시오.

1절. (      )과 백두산이 마르고 닳도록
하느님이 보우하사 우리나라 만세
무궁화 삼천리 화려 강산
대한 사람 대한으로 길이 보전하세

2절. 남산 위에 저 소나무 (     )을 두른 듯
바람서리 (      )은 우리 기상일세
무궁화 삼천리 화려 강산
대한 사람 대한으로 길이 보전하세

3절. 가을하늘 (      )한데 높고 구름 없이
밝은 달은 우리 가슴 (          ) 일세
무궁화 삼천리 화려 강산
대한 사람 대한으로 길이 보전하세

4절. 이 (     )과 이 맘으로 충성을 다하여
(        ) 즐거우나 나라 사랑하세
무궁화 삼천리 화려 강산
대한 사람 대한으로 길이 보전하세

'아 뭐였더라. 3절이 기억이 안 나'

나는 작게 속삭였다. 고민하다 보니 어느새 10분이 지났다. 나는 급하게 다음 문제로 넘어갔다. 문제를 풀고 마지막 문제로 5학년 국어 내용이 나왔다. 나는 교실을 쭉 둘러보았다.

'다들 마지막 문제 하고 있나 보네.'

나는 긴장이 멈추지 않았다. 문제 아래에는 15줄 이상의 빈칸이 있었다. 글을 쓰라는 내용이었다. 차근차근 글을 쓰기 시작했다.

'악! 뭘 쓸지 모르겠어.'

나는 5줄 쓰고 멈췄다. 한참을 고민하다가 겨우 2줄을 더 채웠다. 갑자기 수아와 눈이 마주쳐졌다. 수아도 힘들어하는 표정인 것 같았다. 시험이 10분 남았을 때 급하게 글의 마무리를 했다. 수아는 벌써 다 했는지 검토하고 시험지를 냈다. 그리고 교실 밖에 나가서 나를 기다렸다.

수아는 '빨리 나와'라는 입 모양을 했다. 나는 '알았어'라고 입 모양으로 대답했다. 나는 재빨리 검토하고 선생님께 인사드리고 교실 밖으로 나갔다.

"너 시험 괜찮았어?"

나는 수아를 만나면서 물어보았다.

"나름?"

"헐, 부럽다. 나 마지막 때문에 엄청나게 막혔는데."

"아, 마지막은 나도 그랬어."

"아, 진짜 6학년이 되었는데 5학년 국어를 왜 하는지."

"맞아! 나 그거 때문에 점수 깎일 수도!"

"나도!"

집에 도착해서 엄마에게로 갔다.

"엄마, 나 오늘 시험 봤잖아, 어쩌면 떨어질 수도 있을 것 같아. 너무 긴장한 탓에."

"에이. 될 수 있어. 너가 그런 시험을 많이 해보지 않아서 그래, 하다보면 적응해서 잘할 수 있을 거야."

나는 속상하면서 후회스러운 마음이 들었다.

벌써 수학 학원 시간이 다 되어간다. 급하게 가방을 챙겼다. 작은 쪽지 시험을 보기 때문에 개념 책을 살펴보며 학원 차를 기다렸다. 차에는 서윤이가 앉아 있었다. 서윤이는 옆 동네에 사는 친구이다. 저번에 새로 들어오게 되면서 친해졌다.

"안녕!"

서윤이가 먼저 인사했다. 나도 인사하며 서윤이 옆에 앉았다.

"쪽지 시험 준비했어?"

"음. 조금?"

"근데 그거 어차피 학생들이 얼마나 잘 있는는 확인 하라고 하는 거라서 상관없어! 난 굳이 잘 보고 싶기도 해서 개념 보고 확인하는 거야."

"오, 멋지다."

"키키킥."

학원 차에서 내리고 시간이 15분 정도 남았다. 우리는 근처 편의점에 가서 젤리를 사 먹었다.

"하나씩 사 먹을까?"

"아? 양이 너무 많지 않아?"

"이 젤리 은근 양 적어. 간에 기별도 안 간단 말이야."

"근데 젤리잖아."

"다른 맛도 먹어보고 싶어서.."

서윤이가 젤리를 만지작거리며 말했다.

"좋아, 사자! 남은 건 친구들 나누어주면 되니깐."

젤리를 하나씩 사서 나누어 먹었다. 수학학원 교실에 들어가니까 친구들이 너도나도 손을 내밀었다.

"나 한 개만!"

"나도!"

"한 개만.."

"나 그거 엄청나게 좋아하는 젤린데!"

서윤이와 나는 눈앞에 있는 손들을 보고 깜짝 놀랐다.

"이럴 줄 알았어."

바쁘게 친구들 손에 젤리를 올려줬다. 교실엔 젤리 향이 가득했다.

'드르륵'

그때 선생님이 들어오셨다.

"어우, 이 상큼한 향은 뭐지?"

"이다은이랑 한서윤이 젤리 먹었어요!"

친구들이 소리쳤다.

"그래서 저희도 먹었어요."

"뭐야? 선생님 거는?!"

친구들은 우물쭈물 있으며 조용히 웃고 있었다.

"선생님 좀 서운하네."

"제가 나중에 사 드릴게요!"

서윤이가 당당하게 대답했다.

"오, 진짜?! 오올! 한서윤~"

선생님께서 말씀하셨다.

"아냐. 그럴 필요까진 없어. 선생님이 장난친 거야!"

“자 오늘 쪽지 시험 있는 거 모두 다 알지? 책들 다 넣고 필기구만 꺼내세요.”

친구들은 모두 한숨을 쉬었다.

시험지를 받고, 선생님이 말씀하셨다.

“문제는 총 10문제, 시간은 30분이다. 그럼, 모두 파이팅!”

문제를 차근차근 읽기 시작했다. 근데 갑자기 나는 멍한 얼굴로 허공을 쳐다보았다.

‘방송부는 합격 됐을까?’

시험을 치고 있으니 방송부 시험이 생각났다.

‘수학 쪽지 시험을 보는데 방송부는 왜 생각나는 거야.’

그런 나 자신이 살짝 우스웠다.

나 혼자만 고개를 들고 있었다. 그래서 급하게 문제를 풀어나갔다.

시험이 끝났다. 나는 후다닥 서윤이 자리로 갔다.

“우리 또 매점 갈래?”

“아?”

“가자, 배고파졌어!”

“아까 젤리 하나만 사자는 사람 어디 갔지?”

서윤이가 나를 보며 웃었다.

"아아. 빨리 가자. 쉬는 시간 끝나 가!"

나랑 서윤이는 매점에 들어가서 빵을 골랐다.

"크림빵 먹을까, 딸기 빵 먹을까?"

"선생님께 뭐 사다 드릴까?"

"엥? 진짜 드리게? 넌 너무 착해서 문제야."

내가 서윤이를 보며 말했다.

"엉! 초코바만 사면 되겠지?"

다시 반에 들어가서 우리는 선생님께 초코바를 건넸다.

"헉! 뭐야? 선생님 주는 거야? 감동이야."

"맛있게 드세요!"

수업 시간이 시작되고 개념 공식 빨리 말하기를 해야 했다.

"자, 10문장을 20초 안에 학습지 안 보면서 말하기. 외울 시간은 3분 주겠다."

"선생님! 말이 안 돼요. 그걸 어떻게 해요?"

친구들은 불만을 터트렸다.

"아, 서윤이랑 다은이는 5초 늘려줄게."

선생님이 눈웃음을 지으며 말씀하셨다. 5초가 짧게 느껴지겠지만, 문장 빨리 말하기에 5초는 어마어마한 기회이다.

"선생님! 왜 이다은이랑 한서윤만 시간 더 주세요?"

"그야~ 쌤한테 선물을 줬기 때문이지."

"치이."

연습 시간이 되었다. 친구들은 시끄럽게 소리 내며 말하기 시작했다. 나도 차근차근 외웠다.

'와. 쉬운 10문장이면 무조건 성공인데, 무슨 엄청나게 긴 문장인데다 이렇게 어려우면 어떻게 외우란 말이야?'

내가 가져온 타이머로 서윤이랑 나랑 다른 친구들은 같이 시간을 재주며 연습했다.

선생님이 다시 들어오시고 앞줄부터 말하기 시작했다. 친구들은 여유롭게 시작해서 마무리까지 성공했다. 한번 실패하더라도 다시 기회를 주시지만, 또 틀리면 포인트가 깎이면서 될 때까지 계속해야 하는 잔인한 규칙이 있었다. 앞에서 시간이 넘은 친구가 있어서 한 번 더 하느라 시간 여유가 있었다.

벌써 내 차례가 코 앞이었다. 서윤이는 실수가 있었지만 2초를 남기고 성공했다. 결국 내 차례가 오고 긴장한 마음으로 시작했다. 말을 버벅거리기 시작했다. 버벅거리면 말이 느려져 생각할 시간이 없다. 나는 딱 20초에 끝났다. 오답이 1개 있었지만 나름 괜찮았다.

"아니! 어느 수학학원이 개념 빨리 말하기를 해요?! 영어학원이면 모를까."

"그래서 우리 학원이 특별한 거지."

"네?"

"자, 그만 떠들고 이제 진도 나가자, 오늘 몇 쪽이지?"

"63쪽이요."

수학학원이 끝나고 학원 차를 탔다.

"으아. 배고파."

"또?"

"아, 나 오늘 샤프 망가졌다. 그거 아끼는 거였는데."

"헐."

"아휴, 다시 사야지 뭐. 아, 맞다! 너희 집 앞에 엄청 큰 문구점 있지?"

서윤이가 물었다.

"응."

"나도 같이 내려야겠다. 살 게 있거든."

서윤이가 말했다.

"그럼 집에 어떻게 가려고?"

"버스 타면 되지."

"기사님! 저 다은이랑 같이 내릴게요."
"그래."

나와 서윤이는 우리 집 앞에 있는 대행 문구점에서 내렸다.
"아 샤프를 왜 망가뜨려서 다시 사게 됐냐?"
"아유, 왜 망가뜨린 거야"
"악! 내 말이!"
서윤이가 투덜거렸다.
"근데 그럼 새 샤프 쓸 수 있잖아?"
"그건 맞아!"
"아, 뭐야!"

나도 서윤이를 따라 문구점에 들어갔다. 문구점은 새로 생긴 곳이라서 깨끗하고 물건이 많았다.
"어? 온 김에 형광펜도 사야지!"
"아깐 샤프사는 것도 아까워하더니만 다른 것도 살라고 하네?"
"조용히 해!"
장난을 치며 다시 문구점으로 갔다. 나도 서윤이를 따라 샤프를 하나 샀다.

"너 얼마 샀어?"

"나, 3,400원"

서윤이가 말했다.

"난 1,500원"

"딱 샤프 두 개 있는 거 샀지!"

"헉! 샤프 이쁘당."

"그치?? 한 건 잡았다니까?!"

"나도 또 망가지면 그거 사야지!"

"뭐야."

# 다시 시작된 테스트

"어머 다은아! 다은아!"

"엉?"

"거실로 와봐."

"왜?"

"그냥 빨리 와봐!"

"아아. 귀찮게.. 주말 아침부터 왜 난리야?!"

난 졸린 몸을 애써 일으켜 세우고 거실로 갔다. 엄마는 입을 막으며 노트북 화면을 보고 있었다.

"이거 봐."

"허어어어어어어억!"

나도 화면을 봤다.

방송부 1차 면접 합격 메일이었다!

축하합니다. 하늘초등학교 제 1 방송부 1차 면접에서 6학년 이다은 학생이 합격하였습니다.

다음 2차 면접을 위해 4일 뒤, 1층 돌봄교실에 모여주시길 바랍니다.

감사합니다.

"허어업! 말도 안 돼! 내가 됐다니!!"

"꺄아악!"

나는 바로 수아에게 문자를 보냈다,

수아야! 수아야!!

왱??

너 방송부 어떻게 됐어??

나 합격 했어!!!!

헐 진짜?
나확인해볼깹!

어떻게 됐어??!

나도 합격 해써!!!

우와아아아앙!!

그럼 이제 2차 면접
보면 되겠당

웅웅

4일 뒤 2차 면접 안내
받으러같이 가자

그래!

- 4일 뒤 -

나랑 수아는 학교 수업을 마치고, 돌봄교실로 갔다.
"안녕하세요."
"어어. 그래 이름이?"
"이다은이요."
"전 최수아요."

"자, 다 왔죠?"
"1차 면접 합격 되니까 어때요?"
"떨려요!"
"모르겠어요!"
다른 친구들이 소리쳤다.

"이번에는 2차 면접을 소개할 건데요. 2차 면접은 본인을 소개하는 PPT를 만들 거예요. PPT를 만들어서 USB에 담아 와서 발표하는 시간을 가질 겁니다"
"네."
"그럼, 질문 있는 사람?"
"기간은 언제까지예요?"
수아가 선생님께 물었다.

“참, 아무래도 PPT 만들려면 시간이 오래 필요하니까 2주 정도 드리겠습니다. PPT 발표 시간은 제한 시간 5분입니다.”

“뭘 작성하는 거예요?”

“본인이 무엇을 좋아하고 성격은 어떻게 되는지 등 자유입니다. 그런데 거짓말을 하거나 쓸데없는 말을 하면 점수를 덜 받겠죠?”

“네.”

“그리고 무엇보다 PPT 만드는 정성을 확인할 겁니다. 이제 안내는 끝났으니 이제 집에 가도 됩니다.”

“안녕히 계세요.”

학생들이 우르르르 돌봄교실에서 나왔다. 나와 수아도 뒤따라 나왔다.

“넌 뭐 쓸 거야?”

내가 물었다.

“글쎄, 내가 얼마나 믿음이 있는지 확인하는 거니깐 구체적인 걸 써야 하지 않을까?”

“그치.. 근데 제한 시간이 너무 짧지 않아?”

“맞아. 그런 것도 고려해야 해서 복잡해.”

집에 오자마자 엄마에게 오늘 있었던 일들을 전했다.
"방에서 계획 좀 써봐야겠다!"

방에 들어가 노트를 펼쳤다. 위에는 큼지막한 제목을 적고 그 아래에는 방송부 2차시 면접 준비라고 적었다.
"일단 생일이랑, 몇 반 몇 번인지 말해야겠지?"
1번 옆에 내 생일인 9월 19일을 적었다.
"음.. 말투를 어떻게 하지? 강조하면서 말해야 하나?"
"안녕하세요. 9월 19일생 이다은입니다. 아 생일은 관련 없으니 빼야 하나?"
나는 생각에 빠져 멍하니 천장만 보고 있었다.
"아, 검색해 봐야겠다!"

나는 검색창에 '자기소개 쓰는 법'을 검색했다. 여러 가지 링크들이 있었다.
"오, 나만의 장점, 지금까지 해본 특별한 경험, 해본 동아리 활동 소개, 봉사 활동."
나는 계속 마우스를 아래로 내렸다.
"엥? 영어 실력 표현? 영어는 좀..."

나는 급하게 수아에게 전화를 걸었다.

"여보세요?"

"수아야!"

"왜?"

"우리 만나서 계획안 좀 짜자."

"엇? 그래."

"근데 어디서?"

"음. 너 집 비어? 나 너 집에 가고 싶어."

내가 눈치 보며 말했다.

"우리 1시간 전까지만 해도 같이 있었잖아."

"너 학원 있어?"

"아니."

"그럼, 내가 바로 갈게."

내가 재촉했다.

"아우, 정말."

수아가 웃어 댔다.

"그럼. 나 간다?"

"이따 보자꾸나."

수아가 장난식으로 말했다.

수아와 통화를 마치고 나갈 준비를 했다.

"가방에 노트 넣고, 필통 넣고 핸드폰 넣고 혹시 모르니 지갑도 챙기면 끝!"

"너 어디 가니?"
엄마가 깜짝 놀라며 물었다.
"아, 나 수아네 좀 갔다 올게!"
나는 자전거를 타고 힘차게 달렸다.

띵동

"내가 왔다!"
"빨리 왔네?"
"당연하지!"

수아네 방을 보고 나는 감탄했다.
수아 방은 아기자기한 소품들이 있었다. 커튼은 노란색 커튼이고, 침대 구석에는 큰 곰돌이 인형이 있었다. 옷장 앞에는 귀여운 러그가 깔려있었고 책꽂이 사이사이에는 하이틴 감성인 스티커 엽서가 붙어 있었다. 책상은 깨끗한 흰색인데 투명 전시품이 햇살에 비춰 너무 예뻤다. 그리고 책상을 밝게 빛내줄 램프도 있었다. 수아 집에 있는 하나하나가 너무 귀여웠다.
"와! 너 방은 진짜 죄다 귀여운 거야? 여기서 살고 싶어!"

“히힛!”

“시작하자! 너 뭐 생각해 놨어?”

“검색해 보니 나만의 장점을 소개하면 좋겠더라.”

“좋은데?”

우리는 1시간 가까이 계획을 짰다.

“으아. 벌써 6시야 배고프다.”

“그러게, 너 우리 집에서 밥 먹고 갈래?”

“나야 좋지!”

우리는 배달 앱에서 떡볶이를 시켰다. 계획을 겨우 마무리하고 난 다시 집으로 갔다.

“난 내일부터 PPT 작업 시작해야겠다.”

“남은 건 내일 문자로 하자.”

“그래!”

“엄마 나 계획 다 정했어.”

나는 엄마에게 계획을 정리한 노트를 건넸다.

“정말?”

“오 잘했네?”

“이제 만들면 되는 거야?”

“웅.”

다음날, PPT 작업이 시작되었다. 나는 인내심으로 참아가며 PPT를 만들었다. 그래도 계획을 정하고 만드니 훨씬 쉬었다.

"이것만 쓰면 끝난다..!"

나는 마지막 슬라이스를 만들었다. PPT를 다 만들고 반가운 마음으로 저장 버튼을 눌렀다.

"꺄아악! 끝났다!"

내가 만든 PPT를 다시 한번 보았다. 만들면서 대본을 다 외워서 준비는 다 끝났다.

이제 나에게 남은 건 면접 준비이다!

# 어? 어디 갔지?

벌써 면접 당일이 되었다. 생각보다 여유로운 줄 알았는데 아니었다.

요즘 계속 눈에 걸리는 애가 있다. 바로 최시은이다. 전에 말했다시피 최시은은 여우다. 이번에 알고 보니 걔도 방송부에 지원했다는 것이다. 게다가 1차 시험에 합격했다고 들었다. 반갑지 않은 경쟁자이다.

"아으. 생각하지 말자, 기분만 나쁘니깐."

나는 머리를 흔들었다.

"헉! 오늘 방송부 면접이네, 엄마! 나 USB 좀 주세요!"

“여기 있어.”

“웅.”

USB를 작은 열쇠고리 파우치에 넣었다.

‘다른 곳에 넣으면 빠질 수도 있으니깐!’

오늘도 등굣길에 수아를 만났다.

“너 USB 챙겼지?”

“아잇! 당연하지!”

“짠! 이거 귀엽지?”

“헐! 뭐야? 귀여워!”

“USB 여기에 챙겼다!”

나는 USB를 달랑거리며 보여주었다.

“오오. 괜찮네, 난 필통에 넣었는데”

“근데. 너 면접 합격 될 것 같아.”

“넌 합격 안 될 것 같아!”

“엥?”

“뻥이야!!!”

“제발 같이 합격 되길!”

우리는 두 손을 꼭 잡았다.

"나 방송부 2차 면접 본다!"

나는 반 친구들에게 USB를 보여주며 자랑했다.

"오오!"

친구들은 응원해 주었다. 그래서 괜히 뿌듯한 마음이 들었다.

벌써 학교수업이 끝났다. 긴장되는 마음으로 수아를 만났다.

"으아아앙! 어떻게.."

평소에도 긴장을 많이 하는데 면접을 보니 더더욱 긴장됐다.

"다은아."

"어?"

"빨리 가자, 시간 얼마 안 남았어."

"응!"

## 탁탁탁탁

계단을 내려가며 돌봄교실에 도착했다.

"자, 먼저 USB 꺼내주세요."

나는 가방을 앞으로 돌리고 파우치 열쇠고리를 봤다.

"엇? 왜 열쇠고리가 열려 있어?"

수아가 물었다.

"어? 어디 있지?"

"가방에도 찾아봐."

나는 계속 뒤져봤다.

"아, 제발.."

"없어?"

"안 보여..."

"선생님, 저 USB 잃어버린 것 같아요.,."

"어.. 오늘 면접 못 보면 떨어지는데."

"네?!"

"일단은 교실에서 찾아봐."

"네."

내 목소리는 점점 어두워졌다.

"나도 같이 찾아줄게!"

"그럼 보답으로 내가 떡볶이 쏜다!"

"이럴 때가 아니야! 빨리 찾자"

'아, 진짜 내가 왜 그랬지...? 괜히 신나 가지고, USB를 잃어버리다니...'

“짜증 나..”

나는 무심코 뱉어버렸다.

“진짜 이러다 탈락하는 거 아니야?”

“혹시 복도에 흘린 거 아냐?”

“그런가?”

“아, 이걸 언제 찾아...”

“으아아아아......”

교실에는 불이 꺼져 있었다.

“헉. 선생님 벌써 퇴근하셨나 보다.”

“내가 들어가도 되는 거야?, 난 다른 반이잖아.”

“아잇. 괜찮아.”

“앗, 그렇다면!”

교실 안은 고요했다.

“근데 선생님이 계셨다면 또 내가 들어가기에 눈치 보였겠다.”

“맞아.”

우리는 구석구석 교실 안을 찾아보았다.

위이이이잉 위이이이잉-

그때 청소기 소리가 복도에 울려 퍼졌다.

“야야야! 뭐야 뭐야??”

“그러게 뭐야..”

나는 교실 뒷문으로 고개를 빼꼼 내밀었다.

“아 청소 아주머니가 청소 중이시네.”

“아아...”

“그럼 가야 하나?”

우리는 초조해졌다. 청소기 소리가 가까워질수록 나와 수아의 마음은 급해졌다.

그때!

드르륵-

“어머 학생들이 있네?”

“앗, 안녕하세요.”

“선생님도 안 계시는데 뭐하니?”

“아, 제가 잃어버린 게 있어서요...”

“뭔데?”

“아.. USB요.”

“어? 혹시 이거니?”

청소 아주머니는 먼지에 뒤덮인 USB를 꺼내셨다.

수아는 궁금한 듯 나를 쳐다보았다.

나는 버퍼링 걸린 듯 가만히 USB를 보다가 갑자기 눈이 휘둥그레졌다.

"오오~~~ 네!!!!! 그거 제 것 맞아요!"

나는 금세 표정이 밝아졌다. 흰 바탕에 하늘색이 섞여 있어서 나의 USB인 게 확실했다.

"우와아! 다행이다."

난 기쁜 마음으로 USB를 받았다.

"아까 아줌마가 청소하면서 이걸 구석에서 발견했거든. 근데 주인 찾아서 정말 다행이다."

"정말 감사합니다!!!"

"아냐. 아냐. 나도 그냥 보관한 거밖에 없는데."

아주머니가 나를 쓰다듬으며 위로해주셨다.

나는 청소 아주머니께 정말 고마운 마음이 가득했다. 그래서 내 책상 서랍에 있는 초코바를 건네드리며 청소 아주머니께 말씀드렸다.

"이거 수업 시간에 제가 받은 건데 드세요!"

"으이? 아니야 너 먹어."

아주머니는 손사래를 치셨다.

"괜찮아요! 아주머니 아니였으면 저 이번 면접에 떨어졌을 거예요!"

"아잇, 그럼 잘 먹을게."

청소 아주머니는 내가 드린 초코바를 앞치마 주머니에 넣으셨다.

"안녕히 계세요."

수아와 나는 고개를 숙였다. 청소 아주머니는 고개를 까딱 하셨다.

USB는 뚜껑이 없이 나뒹굴어져서 먼지가 많이 묻어 있었다. 나는 사물함에 있는 물티슈로 USB를 닦았다.

"잘 닦여?"

수아가 걱정하는 듯 물었다.

"아니.. 너무 오래 있었나 봐."

"왠지 아까 너 열쇠고리 파우치? 그게 열려 있더라."

"그니까, 열려있어서 빠진 것 같아."

나는 USB가 잘 안 닦이자, 더 빡빡 닦았다.

"근데 우리 빨리 가야 하지 않아?"

"아! 맞다!"

나는 부랴부랴 물티슈를 버렸다.

"USB 챙겼어?"
"아! 맞다! 찾아 놓고 두고 갈 뻔!"
나는 책상에 있는 USB를 챙겼다.

나랑 수아는 다시 빠르게 계단으로 내려갔다.

# 나 할 수 있겠지?

"선생님! 저 찾았어요!"

나는 문이 열리는 동시에 말했다. 근데 다른 애가 발표 중이었다. 나는 민망한 마음에 급하게 대기 줄에 앉았다.

"너 준비 됐어?"

"아니.. USB 찾는 동안 대본 다 까먹음."

"근데 PPT 보면 되잖아."

"그건 그렇긴 해..! 너 먼저 할래?"

"그래."

수아는 주머니에서 거울을 꺼냈다. 머리를 단정하게 만든 다음, 입을 풀며 준비하고 있었다.

"자, 다음."

수아가 벌떡 일어났다.

수아의 USB를 모니터에 꽂았더니 발표 PPT가 큰 화면에 띄워졌다.

"안녕하세요. 1회 방송부에 지원한 최수아입니다. 저는 우리 반의 ......."

수아는 수아의 장점인 또랑또랑한 목소리로 당당하게 발표했다.

.

.

어느덧 수아의 발표는 마무리되었다.

"짝짝짝짝"

수아 칭찬이 늘어날수록 내 긴장은 점점 올라가는 것 같았다.

"다음 학생"

다음이라는 단어가 귓가에 들려왔다.

'꼴깍'

나는 마른침을 삼켰다. 근처에 있는 거울로 내 모습을 확인했다.

"네에."

애써 힘준 목소리로 대답했다.

"USB는요?"

"아, 여기요."

선생님께서 모니터에 USB를 꽂으셨다. 근데 화면에는 아무런 반응이 없었다.

"어? USB에 먼지가 많이 묻어서 그런가? 작동이 안 되는데?"

선생님이 당황하시며 말씀하셨고 가장 당황스러운 사람은 바로 나였다.

"네?!"

선생님은 나에게 USB를 건네셨다. 먼지 속에 몇 시간 동안 뒹굴었던 탓인지 작동이 안 됐다.

그때,

"잠시만요! 저한테 손수건 있는데, 그걸로 닦아 볼까요?"

수아였다.

가방을 주섬주섬 찾더니 보라색 손수건을 꺼냈다. 재빨리 USB를 닦아주었다. 손수건에 먼지가 잔뜩 묻었다.

어느덧 USB는 깨끗해졌다.

"수아야.. 고마워, 손수건 괜찮아?"

"에이~ 떡볶이 사줄 꺼잖앙~"
수아는 손수건을 털었다.
"자, 시간 없으니 바로 발표하겠습니다."

"안녕하세요. 저는 1회 방송부에 지원한 6학년 이다은입니다."

.

.

5분이 지나고 면접이 끝났다. 선생님은 안내지를 건네주셨다.
"수고 많았어, 안녕!"
개별 포장된 사탕도 한 알 들어있었다.
"아, 진짜 USB 때문에 이게 뭔 꼴이야.."
나는 투덜대며 사탕을 입 안으로 쏙 넣었다.
"너 아니었으면 난 지금쯤 이불 덮어쓰고 울고 있었을거야. 하여간 최수아 도움 된단 말이야. 약속한 떡볶이 쏜다!"
"와아아아아아"

"아줌마! 여기 컵떡볶이 2인분 주세요."
"알았다잉."

금새 컵떡볶이가 나왔다.

"엇! 아줌마, 저희는 달걀 안 시켰는데요?"

수아가 물었다.

"아, 서비스지!"

"헉! 감사합니다!"

"아, 너 덕분에 내 소중한 USB 찾을 수 있었다!"

"히히, 떡볶이를 쏘신다면 언제든지 할 수 있지요오~"

나는 숟가락으로 달걀을 반으로 쪼갰다.

"자 고마운 마음으로 너가 더 큰 달걀 먹어!"

나는 수아 앞접시에 달걀을 얹어 주었다.

"땡큐!"

수아는 노른자를 떡볶이 국물에 쓱싹쓱싹 비볐다.

"오, 먹을 줄 아는 친구군!"

"당연하지!"

"근데 짠 거 먹었는데.."

"그럼.."

"단짠단짠!"

수아가 말했다.

"끝나고 아이스크림 고고?"

"고고!"

우리가 단골이라고 불릴 만큼 자주 가는 아이스크림 할인점에 갔다.

"이번엔 뭐 먹을까?"

우리는 새로운 것에 도전하고 싶은 마음이 들었다.

"오, 이거 먹어볼까?"

"이것 봐. 블루베리 맛이래!"

"오, 이건 바나나 우유 맛이라는데??"

"뭐 먹지..? 오케이 바나나로 간다."

"나도 간다!"

생각해 보니 꽤 늦은 시간이 되었다.

"근데 우리 이제 가야겠다.."

"그러게."

"잘 가."

띠띠띠띠 띠로링-

"다녀왔습니다!"

"다은아, 면접 잘 봤어?"

"웅. 근데 잃어버렸어."

"어?"

"청소 아주머니 덕분에 살았어"

"어?"

나는 엄마께 학교 끝나고부터 지금까지 일어났던 일을 전했다.

"와! 무슨 영화 같다."

"그니까!"

## 최종 합격??!!

토요일 아침이 되었다. 오늘 오전 11시에 학교 알림 앱에서 2차 합격자가 발표된다고 들었다.

나는 눈을 비비며 거실로 나왔다.

"엄마 몇 시야?"

"지금? 9시."

"뭐?! 아아. 왜 이렇게 늦게 일어난 거야?! 아, 맞다. 엄마 오늘 2차시 결과 발표 있어."

"그럼, 타이머 맞추자. 바로 볼 수 있게."

나는 방에 있는 스톱워치에 1시간 55분으로 맞추었다. 준비를 위한 5분을 남겨두었다.

"으앙. 뭐 하지?"

그냥 오늘도 똑같이 패드를 집었다. 자연스럽게 요즘 빠진 드라마를 이어 보았다.

시간이 지나고 스톱워치가 울렸다.

삐비빅삐비빅 삐비비빅

"엄마, 엄마! 11시!"

"엇. 빨리 들어가보자"

엄마는 노트북으로 학교 홈페이지에 들어갔다. 어김없이 심장은 두근두근! 지난번 1차 때와 비슷한 심정이었다.

엄마와 나란히 소파에 앉아 노트북 화면을 바라보았다. 거실은 고요했다. 나랑 엄마는 학교 연락을 기다리고 있었다. 합격과 불합격 중 하나이다.

제발 내가 되었으면...

띠리링-

"왔다!"

내가 엄마를 재촉했다. 확인을 누르고 마우스를 내리자, 결과가 나왔다.

결과는… **합격**이었다!

"됐다!!!"
나와 엄마는 동시에 일어나면서 와락 안았다.
"우와아아아아악!!!"
"됐다! 됐어!"
"꺄아악!"

나는 바로 달려가서 수아에게 전화를 걸었다.
"여보세요?"
"수아야. 결과 봤어?"
"아니,, 나 아직 안 나왔어."
"아.."
너무 아쉬웠다. 괜히 신경 쓰였기 때문이다.
"엇. 지금 왔다!"
"어때? 어때?"

나는 또 긴장되었다. 수아는 말이 없었다. 나는 내내 기다렸다.

"나.. 불합격."

"뭐? 말도 안 돼, 니가 얼마나 잘했는데? 허둥지둥했던 나보다 잘했는데 무슨 말이야?"

"사실 뻥이야!"

"어? 아, 진짜 최수아!!"

"아이고. 이다은씨 많이 놀랐나 봐??"

"아오.. 어쨌든 잘 됐다!!"

심장이 튀어나올 것 같았다. 엄청나게 놀라기도 했는데 무척 신기했다.

월요일이 되고 나랑 수아는 만나자 마저 서로에게 달려갔다.

"엇! 방송부 이다은?"

"오~ 방송부 최수아?"

우리는 키득거렸다.

"이따 학교 끝나고 시간 돼?"

"웅!"

"그럼, 카페 가서 놀자! 마침 오늘 시간 비거든!"

오늘따라 지루했던 학교가 끝났다. 수아는 카페 앞에 자리를 잡고 나를 기다리고 있었다.

"너, 뭐 시킬 거야?"

"모르겠어... 스무디, 딸기라떼, 에이드, 아이스티, 버블티??"

수아는 메뉴를 줄줄 말했다.

"좋았어! 난 버블티!!"

"나는 딸기라떼!"

내가 대답했다.

"저희 딸기라떼 하나, 버블티 하나 주세요."

"사이즈는요?"

알바생이 물었다.

"미디움 이요? 기본이요?"

"오, 넵!"

"넵. 그러면 혹시 버블티는 무슨 맛이요?"

.

.

메뉴를 다 주문하고, 음료를 기다렸다.

"야야 3차 면접 내일이래."

"뭐? 설마. 준비도 못 했는데, 아니겠지?"

"근데 어차피 발음이 얼마나 좋은지, 연설을 맡겨도 되는지 확인하는 거라서 상관없대. 오히려 빨리 끝나면 좋잖아!"

"그렇긴 하네, 그럼, 이번엔 마음 편히 있어야겠다."

마침 음료가 나왔다.

우린 음료를 마시며 2차 시험 결과를 축하하고, 내일 있을 3차 면접을 응원했다.

"다은아, 담에 봐!"

"엉."

집에 도착해서 학교 게시판을 확인해 보았다.

방송부 3차 면접은 대본 읽기이기 때문에 수요일에 진행할 예정입니다. 방송부에 지원한 학생들은 수요일 학교 수업 끝나고 돌봄교실로 와주시기 바랍니다.

라고, 적혀 있었다.

다음날, 나는 방송부 면접을 빠르게 마쳤다. 뉴스, 신문에 실린 장문의 글을 읽었고, 다행히 쉽게 끝냈다. 이번만큼은 자신 있었다.

"나, 이번엔 좀 될 듯!!"
"나도. 나쁘지 않았어!!"
"결과 언제 나오지?"
수아가 핸드폰을 꺼내더니 안내표를 찾고 있었다.
"이번 주 금요일!"

금요일 아침.
나는 눈을 뜨자마자 학교 게시판에 들어갔다.
결과는..

**'이다은 최종 합격'**

"와아아아아아아악!"
나는 잠이 덜 깬 상태라 눈을 비비고 다시 보았다.
'최종 합격'이라는 글자가 보였다. 확실했다.

나는 다른 사람은 어떻게 됐는지 궁금해, 화면을 내려보았다.

'최수아 최종 합격'

뚜렷하게 보였다. 나는 재빨리 화면을 캡처해서 수아에게 보냈다. 수아는 아직 자고있는 것 같았다.

"와아아아! 엄마아아! 나아 최종 합격!"

"오오옥!!!"

엄마는 소파에서 일어섰다.

"거봐. 엄마가 너 된다고 했잖아!"

"수아도 합격했어!"

"뭐??"

"나랑 최수아랑 합격 했다고오오!!"

다음 주 월요일부터 아침 조회 시간은 이제부터 방송부가 한다. 나머지 8명은 누구일지 모르겠지만 떨리고 설렌다.

# 이젠 나도 방송부다!

방송실
관계자 외
※ 출입금지 ※

# 첫 아침조회 시간

오늘은 월요일 첫 아침 조회를 하는 날이다. 두근두근 설레는 마음에 일요일 밤잠을 설칠 뻔했다. 신나는 발걸음으로 8시에 학교에 도착했다. 처음으로 방송부 교실 바닥을 걸어보았다. 신입부원들은 복도에서 한 번쯤 마주쳐 본 친구들이었다. 남학생은 3명뿐이었다.

"이거 너무 어색하다."

수아가 내 귀에 속삭였다.

"안녕하세요. 오늘 방송부 처음이죠? 축하합니다. 먼저 친구들과 친해질 수 있게 자기소개를 해봅시다. 음.. 그럼, 다은부터?"

방송부 쌤이 나를 쳐다보셨다.

"엇. 넵! 안녕하세요. 1반 이다은입니다."

그때!!

드르륵-

"늦어서 죄송합니다."

최시은이었다. '재가 왜 있지?' 하는 생각만 들었다.

"야야. 재 최시은이잖아!"

뭔가 불길했다. 무슨 일이 벌어질 것처럼 심상치 않았다. '하필 왜 많은 애들 중에 최시은 인데?' 라는 생각만 하다 보니 금세 자기소개 시간이 끝났다.

"자, 시간 없어! 일단 10명 중 3명은 PPT 넘기기, 또 3명은 교장 선생님 마이크랑 조명 담당하고, 나머지 4명은 선생님 좀 도와줘. 그럼, 위치로!"

나는 PPT 넘기는 역할을 맡았다.

"자자, 아침 조회시간 10분 남았다!"
"헉, 어떻게!"

수아는 나와 같이 PPT 넘기는 역할을 맡았다.
"괜찮아, 할 수 있어! 교가랑 교장쌤 시작하는 부분만 잘하면 되는 거야!"
"먼저 내가 PPT 넘길게, 혹시 나 넘기는 거 시간 좀 봐 줄 수 있을까?"
"그래!"
나는 시계를 확인하는 역할을 맡았다.

"자, 얘들아, 준비 됐지? 이제 교장쌤 오실 건데, 첫날이니까 실수가 좀 있어도 괜찮아. 근데 안 하도록 노력해 보자! 선생님이 옆에서 조금씩 도와줄게. 아 그리고 오늘 잘하는 친구에게는 방송부장의 기회를 줄게!"

교장 선생님께서 들어오셨다.
"방송부 친구들, 고생 많죠? 첫날이지만 화이팅!"

교감 선생님이 안내 방송을 시작하셨다.
"학생 여러분! 안녕하세요. 오랜만에 아침 방송을 하네요. 그럼, 교가부터 시작하겠습니다.

"지금!"

수아가 화면 넘기는 친구에게 시간을 알려주었다. 마우스가 틱 소리를 내자, 큰 화면이 교가로 바뀌었다.

"우우와아아!"

나는 방송부가 돼서 이렇게 내가 아침 조회를 한다는 게 신기하고 뿌듯했다. 나랑 수아는 무척 들떴다. 하지만 노래가 한 소절 한 소절 바뀔때마다 마우스를 빠르게 눌러야 했다. 마우스를 5번 정도 누르고 교가가 끝났다.

"눌러!"

이번엔 내가 알려주었다. 다른 슬라이드가 나올 부분이라 재빠르고 신속하게 알려주었다. 다음 슬라이드는 애국가였다. 동영상 버튼을 눌렀다. 방송부 1차 면접에 나왔던 애국가를 다 외웠기 때문에 덩달아 흥얼흥얼했다. 반 친구들이 내가 조종하는 PPT를 보며 아침 조회를 하고 있는 모습을 상상해보니까 신기하면서도 우스웠다.

1학년 애들이 애국가를 크게 따라 부르는 소리가 조금씩 들렸다. 다음으로 교장 선생님 말씀을 듣고 우리의 임무는 끝났다. 아침 조회 카메라가 꺼지면서 우리는 교장 선생님과 함께 박수를 쳤다.

첫 방송을 잘 끝냈다는 기쁨의 박수였다.

방송을 마치고 교실에 올라가는 최시은과 눈이 마주쳤다. 최시은은 나를 한 번 보더니 혼자 쌩-하며 올라갔다.

"쟤, 왜 저러냐?"

"몰라. 여왕병 이런 건가??"

"크크크"

반에 들어가니 친구들은 '오올' 하면서 웃어주었다.

"뭐야, 왜 이래??"

나는 머리를 긁으며 멋쩍은 웃음을 지었다.

다음날 우리 방송부는 방송부장을 정하고, 카메라 다루는 법을 배우기 위해 일찍 만났다.

"자, 우리 방송부장은 민호가 하게 되었다. 모두 박수!"

"감사합니다!"

"그리고 오늘은 카메라 조종하는 법을 다 같이 배워볼 거야, 아직 5명만 왔으니깐 조금만 더 기다리자. 선생님은 잠깐 교무실에 다녀올 꺼니까, 카메라랑 장비 조심하자!"

나, 수아, 최시은, 시은이 친구, 민호가 있었다. 나랑 수아는 밖에 나가 놀기로 했다.

나랑 수아는 5분이 지나고 방송부에 들어왔다. 그런데 메인 카메라가 바닥에 있었고, 렌즈에 금이 가 있었다.

"뭐야, 뭐야?!"

수아는 당황했다. 그때 선생님이 들어오셨다.

"자, 다 왔…."

선생님은 바닥에 떨어진 카메라를 보셨다.

"누가 이런 거지? 선생님이 장비 조심하라고 했잖아! 누가 좀 말해 볼래?"

"어우, 수아야. 아무리 그래도 사과는 해야지."

최시은이었다. 마치 최시은이 수아한테 카메라 고장을 덮어씌우는 것 같았다.

# 덮어씌워진 짓

"최수아, 네가 그랬어??"

갑자기 선생님의 목소리가 낮아졌다.

"...네?"

수아는 당황했다. 당황할 수밖에 없었다. 아무런 잘못이 없었으니까. 수아를 도와야 했다.

"선생님, 제 말 한 번만 들어주세요. 수아가 그런게 아니예요."

나는 최시은을 째려보았다.

"왜냐하면 선생님이 나가셨을 때, 저랑 수아는 같이 밖에 나가 있었어요. 5분쯤 지나고 저희가 방송부로 들어왔을 때 카메라가 깨져있는 걸 발견했을 뿐이에요, 저랑 수아는 카메라에 손도 안 댔어요."

"그래? 그럼, 누가 그랬니?"

"선생님, 이다은이랑 최수아가 밖에 나가 있었다는 증거 있나요? 지어내서 말하는지 어떻게 알죠?"

최시은이었다.

"그럼 CCTV 돌려 보면 되지 않나요?"

"방송실 CCTV는 얼마 전에 고장 났어."

"그럼 누구 증인 있으면 나와 봐. 한민호 너 본 거 없어?"

내가 재촉했다.

"사실 최시은 맞아요. 제가 봤어요. 최시은은 친구랑 싸우다가 화나는 일이 있었는지, 답답해하더라고요, 그랬더니 뒤에 있었던 메인카메라가 건드려지면서 렌즈가 깨졌고요."

"최시은, 사실이야?"

최시은과 친한 친구는 최시은의 눈치를 계속 보고 있었

다.

“아니에요! 증거 있나요?? 다들 왜 저한테 난리예요!”

“민호가 봤다잖아.”

선생님은 이를 꽉 물고 있었다.

방송부 친구들이 하나하나 들어오기 시작했다.

“일단 알겠어! 오늘 역할 정하려고 모인 건데, 메인카메라가 망가졌네.. 아휴.”

방금 도착한 친구들이 어리둥절하며 계속 선생님께 물었다.

“왜요? 왜요?”

“쟤네 너무 눈치 없는 거 아니야?”

“그니까, 선생님 기분 더 상하셨겠는데.”

선생님은 갑자기 어디로 전화를 하셨다. 그리고 교장 선생님께 말씀드린다며 나가셨다.

“야, 최시은! 너 왜 거짓말 해?”

민호가 물었다. 친구들은 아무것도 몰라 고개만 갸우뚱했다.

“뭐래.”

다시 선생님이 오셨다.

"자, 오늘은 이만 끝내고 다음 주에 모이자. 이 카메라는 일단 수리를 맡겨보고, 더 이상 고치지 못한다면 다시 사야 할 수밖에."

"그럼 망가뜨린 사람도 책임을 져야 하는거 아닌가요?"

"일단 확실하지 않으니까 나중에 밝혀지면 그때 다시 생각해보자. 걱정하지 말고 잘 가렴!"

"에잇. 아침 일찍 나왔는데 이게 뭔 꼴이람. 오자마자 가야 하다니, 짜증 나."

애들은 궁시렁거리며 짜증을 냈다.

"야! 최시은 뭐냐? 한민호가 맞다는데, 아니라고 우기기나 하고?"

"맞아, 좀 이상하긴 해. 최시은이랑 친한 친구, 봤어? 최시은 눈치만 보는 것 같고 좀 이상했어."

"이 사건에 왠지 개입하고 싶다는 말이지?"

"그니까, 선생님을 위해 우리가 좀 참견을 부려볼까?"

"뭐야아."

"아, 등교 시간까지 30분 남았는데 뭐하냐?"
"야야. 우리 반에서 놀래?"
"뭐? 그래도 돼?"
"뭐 어때?"
수아는 찡긋거리며 신나 했다. 나랑 수아는 애들이 다 빠질 때까지 기다린 후 교실로 갔다.

교실 복도에서 후다닥 수아네 반으로 들어갔다. 핸드폰을 보면서 간식을 먹으며 어두운 교실에 있었는데...

스스슥-
"뭐야. 뭐야. 누구 있나 봐?"
나는 교실 뒷문으로 고개를 빼꼼히 내밀며 복도를 보았다. 검은 옷을 입은 남자애가 지나가고 있었다. 키를 보아 우리 학년 같았다.

나랑 수아는 몰래 그쪽으로 다가갔다. 남자애가 우리와 눈이 마주치자, 도망가려고 했다. 하지만 복도 끝이라 도망갈 곳이 없었다.

"너 누구야?"

"나? 나..."

남자애는 말을 더듬었다.

"너 몇 학년이야?"

"5학년"

"우린 6학년이거든, 근데 넌 여기 왜 있어?"

"그럼 누나들은?"

"우린 방송부거든. 오늘 아침 일찍 방송실에서 모였는데, 사건이 터졌어. 그래서 교실에 일찍 온 거야."

수아가 당당하게 말했다. 우리는 다시 5학년 애한테 물었다.

"근데 넌 여기 왜 왔냐구?"

"난 그냥. 학교 온 지 얼마 안 돼서 학교 구경이나 하고 싶어서."

"학교에서 뭐 했는데?"

"그냥 여기저기 다니면서 사진이랑 동영상도 좀 찍고..."

나는 문득 생각났다. 남자애가 동영상을 찍었다고 하면 방송부 영상도 있을까? 그럼 카메라 사건에 증거가 될 수 있기 때문이다. 수아와 나는 동시에 눈이 마주쳤다.

"그럼 혹시 방송부에서도 영상 찍었어?"

"응..."

"그럼 카메라가 떨어지는 장면도 찍었겠네??"

나는 점점 목소리가 높아졌다.

"맞아."

"그럼 우리 좀 도와줄래? 그 영상 좀 보여줄 수 있어?"

영상에는 최시은이 카메라를 건드리는 장면이 정확하게 찍혀 있었다. 그리고 한민호도 같이 찍혀있었다. 영상은 완벽하게 잘 찍혀 있었다.

"우리 이거 쓰자! 우리 방송부를 위해서 필요해."

"혹시 우리랑 같이 방송부에 갈 수 있을까?"

"응."

"선생님! 저희가 증거를 찾았어요!"

"어?"

선생님은 컴퓨터 작업을 하시며 대답하셨다.

남자애는 선생님께 영상을 보여주었다.

"허어억!!"

"선생님도 이제 믿으실 수 있죠?"

"아... 이 영상 선생님 메일로 보내줄 수 있겠니? 좀 필요해서.”

“넵!”

남자애는 선생님 컴퓨터에서 바로 메일을 보냈다.

“너희들 덕분에 카메라 렌즈를 잘 수리할 수 있겠네.”

수아랑 나는 서로 부둥켜 안았다.

“그럼 안녕히 계세요.”

8시 30분쯤 우리는 각자 교실로 들어갔다.

교실에 있는 최시은의 표정이 어두워졌다. 이젠 어쩔 수 없을 거다. 이미 들통났으니까. 나랑 눈이 마주치자 바로 앞을 보았다.

1교시 쉬는 시간에 반 친구들한테 방송부에서 아침에 있었던 사건을 간단하게 말했다. 친구들은 가끔 방송부에서 있었던 일들을 궁금해했다.

“아니, 그래서 오늘 친구랑 복도에서 어떤 5학년 남자애를 만났거든? 그래서 방송부 카메라 렌즈를 떨어뜨린 사람이 누구인지 알게 되었어.”

“그걸 어떻게 알아?”

“왜냐하면 걔가 동영상을 가지고 있었거든!”

“잠깐! 동영상을 그 남자애가 딱 찍은 거라면, 어떻게 그 타이밍에 찍은 건데?"

친구가 갑자기 물었다.

"음…."

그런 부분까지는 생각 못 했다. 친구가 그런 질문을 던지니까 나도 정확하게 말하지 못했다. 친구들은 나를 향해 눈을 반짝이고 있었다.

"아니 아니. 그래서 동영상을 보니까 방송부 카메라를 떨어뜨린 사람이 최시은이었어!"

친구들은 헉하며 놀랐다. 그리고 다 같이 최시은을 바라보았다. 최시은은 복도로 쌩하며 나갔다.

"근데 있잖아, 그 5학년 남자애 어떻게 그 타이밍에 맞춰서 딱 찍었을까?"

내가 수아한테 물었다. 수아는 머뭇거리더니 나와 눈이 마주쳤다.

"이런 거 아닐까? 방송부가 궁금해서 문틈으로 보고 있다가 마침 수상한 느낌이 들어서 그때 동영상을 킨 거 아닐까?"

"에이, 설마. 걔가 예언자야?"

"그럴 수도 있지."

"으어???"

"에이 농담, 농담 왜 이렇게 진지해??"

다음 주 방송실에 모이는 날이 왔다.

"모두에게 알릴 말이었어. 저번에 카메라 렌즈가 깨진 적이 있었지? 그리고 누가 한 것인지 알게 되었어."

최시은은 눈을 질끈 감았다.

"하지만 누구인지 말은 하지 않겠어. 그 학생에게도 인권이 있으니까. 이 정도면 충분히 반성했을 거라고 생각할께."

친구들은 아쉬운 표정을 지었다.

"대신 학부모와 이야기해서 카메라 수리비는 받을 거야, 비싼 물건이라서 전부 지원받기는 힘든 상황이거든. 그리고 오늘은 지난번에 못 정했던 각자의 역할을 짤 거야."

선생님은 화이트보드에 역할을 하나씩 적어 넣으셨다.

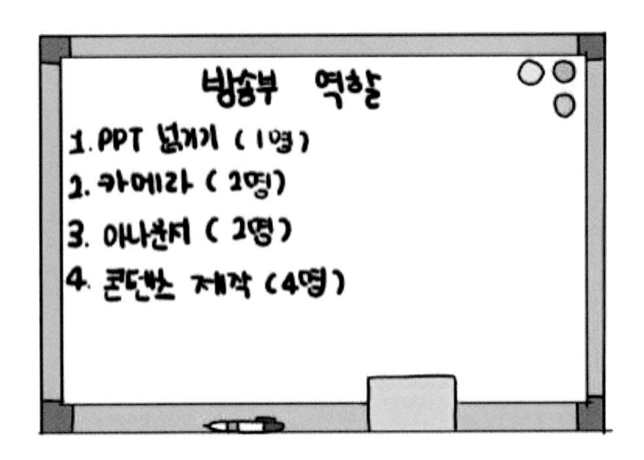


"자 역할은 이렇게 있어, 먼저 PPT 맡고 싶은 사람?"

한 명의 친구가 손을 들었다. 나와 수아는 같이 하고 싶어서 손가락으로 사인을 보냈다.

"다음 두 번째?"

나는 손을 번쩍 들었다. 수아도 그랬다. 근데 민호도 손을 들었다.

"자, 어떻게 할까? 가위바위보?"

"가위바위보!!"

수아가 이겼다. 이번엔 나와 민호가 하는 거였다.

"가위바위보!!"

"우와아아아아아, 이겼다!"

"그럼, 카메라는 수아와 다은이 담당!"

고급 카메라는 어떨지 궁금했다.

# 마지막 초등학교

나는 카메라 감독이 되어 많은 친구들을 찍어주었다.

12월이 되었다.

그리고 잊고 있던 글쓰기 대회도 생각났다.

"아, 맞다! 글쓰기 대회.. 크큼.. 내년에 나가야지!!"

나는 겨울 방학을 실컷 즐겼고, 6학년의 키워드였던 '졸업'이 생각났다.

"아휴~"

나는 우리 학교 제1회 방송부원이다.

덕분에 발표도 어렵지 않게 되었고, 카메라도 잘 다루게 되었다.

"이제 우리의 초등학생은 끝이다! 와아아아아아아아아"

나는 힘껏 소리 질렀다.

"엄마! 이제 나도 중학생이야!"

**근데. 중학교 괜찮겠지…??**

# 작가의 말

저는 이 책을 약 6개월 동안 만들었어요. 6학년 처음으로 책을 만드는 거라서 어렵고, 복잡해서 쓰기 힘들었어요. 그치만 졸업을 상징하는 책으로 잘 마무리되어 끝냈어요.

이 책의 주인공 다은이는 걱정이 많고 호기심이 많아요. 다은이 성격은 저를 바탕으로 만들어 보았어요. 실제로 걱정이 많거든요.

저도 방송부를 지원한 적 있는데, 아쉽게 떨어졌어요. 그런데 책을 쓰면서 내가 해보지 못한 것들을 책에 써보면 어떨까해서 방송부로도 접근을 해보았어요.

여러분들도 이 책을 읽으면서 도전하고 싶은 것은 일단 도전하는 사람이 되었으면 좋겠어요. 결과는 중요하지 않아요. 그거에 대한 과정이 더 중요한 것인 것 같아요. 그러니 망설여도 도전해서 과정을 많이 쌓으시면 좋겠어요! :)

-김지윤

# 나의 방송부 도전기

**발　행** | 2023년 12월 06일
**저　자** | 김지윤
**펴낸이** | 한건희
**펴낸곳** | 주식회사 부크크
**출판사등록** | 2014.07.15.(제2014-16호)
**주　소** | 서울특별시 금천구 가산디지털1로 119 SK트윈타워 A동 305호
**전　화** | 1670-8316
**이메일** | info@bookk.co.kr

**ISBN** | 979-11-410-5751-0

**www.bookk.co.kr**